D1451547

Chants des eaux profondes

Textes du livre des Psaumes
pour chaque jour du mois

Ce livre est une coproduction de maisons d'édition de
divers pays.

L'édition originale a paru en anglais sous le titre:
«Songs from Deep Waters»
© Scandinavia Publishing House
Copenhague, Danemark

Éditeur: Jørgen Vium Olesen

© de l'édition française:
Éditions Brunnen Verlag Bâle (ebv), Suisse
Codiffusion: Brepols

Cinquième édition 1994

Texte utilisé:
La Bible en français courant
avec l'autorisation de la
Société Biblique Française

Imprimé à Singapour par
Kim Hup Lee Printing Co. Pte. Ltd.

ISBN EBV 3-7655-5814-1
ISBN Brepols 2-503-50346-2

Chants des eaux profondes

*Textes du livre des Psaumes
pour chaque jour du mois*

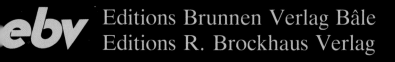

Editions Brunnen Verlag Bâle
Editions R. Brockhaus Verlag

Fais-moi voir ta lumière et ta vérité.
Qu'elles me guident
vers ta montagne sainte, qu'elles me
conduisent à ta demeure!
Psaume 43 : 3

Fais disparaître ma faute,
et je serai pur; lave-moi, et je serai
plus blanc que neige. Annonce-moi
ton pardon, il m'inondera de joie.
Que je sois en fête, moi que tu as brisé!
Détourne ton regard de mes fautes,
efface tous mes péchés.

Dieu, crée en moi un cœur pur;
renouvelle et affermis mon esprit. Ne me
rejette pas loin de toi,
ne me prive pas de ton Saint-Esprit.
Rends-moi la joie d'être sauvé, soutiens-moi
par ton Esprit généreux.

A tous ceux qui te désobéissent
je veux dire ce que tu attends d'eux;
alors les coupables reviendront à toi.
Dieu, mon libérateur, délivre-moi de la mort,
pour que j'annonce avec joie
comment tu m'as sauvé. Seigneur, ouvre mes
lèvres, pour que je puisse te louer.

Psaume 51 : 9–17

Tu n'as pas ton pareil!

Mon Dieu, j'ai plaisir à t'obéir.

J'ai compté fermement sur le Seigneur, il s'est penché
vers moi, il a entendu mon appel. Il m'a retiré du puits
infernal, de la boue sans fond. Il m'a remis debout,
les deux pieds sur le roc; il a rendu ma démarche assurée.
Il a mis sur mes lèvres un chant nouveau, un chant
de louange pour lui, notre Dieu.
Beaucoup en seront témoins, ils prendront
le Seigneur au sérieux et lui donneront leur confiance.
Heureux l'homme qui se fie au Seigneur,
sans un regard pour ceux qui font pression sur lui
et s'empêtrent dans le mensonge!

Que de merveilles tu as réalisées, Seigneur mon Dieu!
Tu n'as pas ton pareil. Et que de projets en notre faveur!
Il y en a trop pour que je puisse tout raconter, tout dire.
Ce qui te fait plaisir, ce n'est pas un sacrifice ou une offrande
– tu me l'as bien fait comprendre.
Ce que tu demandes, ce n'est pas des animaux brûlés
sur l'autel ou des sacrifices pour effacer les péchés.
Alors j'ai dit : «Je viens moi-même à toi.
Dans le livre de la Loi je trouve écrit ce que je dois faire.»
Mon Dieu, j'ai plaisir à t'obéir, et je garde ta Loi
tout au fond de mon cœur. Dans la grande assemblée
j'annonce la bonne nouvelle : le Seigneur délivre.
Désormais je ne me tairai pas, tu le sais bien, Seigneur.
Je ne garde pas secrète la délivrance que tu m'as accordée,
mais je dis que tu es un vrai sauveur. Devant la grande
assemblée je ne cache pas ta fidèle bonté.
Toi, Seigneur, tu ne me fermeras pas ton cœur,
et ta fidèle bonté sera ma constante sauvegarde.

De partout des malheurs m'ont assailli, je ne peux plus
les compter. Je subis les conséquences de mes fautes,
je ne supporte plus de les voir. J'en ai plus que de cheveux
sur la tête, je suis complètement dépassé. Seigneur, s'il te
plaît, délivre-moi; Seigneur, viens vite à mon aide.
Honte et déception tout à la fois à ceux qui veulent ma mort!
Que ceux qui prennent plaisir à mon malheur reculent
déshonorés! Que ceux qui ricanent à mon sujet soient
consternés sous le poids de leur honte!
Mais que tous tes fidèles soient débordants de joie à cause
de toi, et que tous ceux qui t'aiment, toi le Sauveur,
ne cessent de proclamer : «Le Seigneur est grand!»
Moi, je suis pauvre et malheureux, mais le Seigneur
me témoigne son estime.
Mon secours et ma sécurité, c'est toi.
Mon Dieu, ne tarde pas.

Il m'a remis debout, les deux pieds sur le roc.

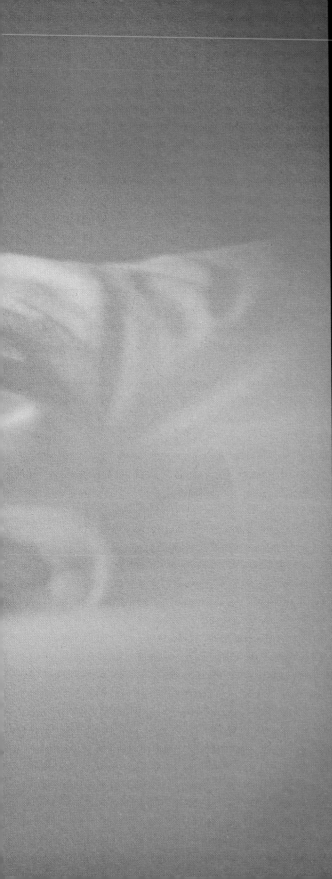

Gardé par le Seigneur

Merci au Seigneur, au Dieu d'Israël,
depuis toujours et pour toujours.
Amen, oui, qu'il en soit bien ainsi!

Heureux l'homme qui prête attention aux faibles!
Le jour où tout va mal pour lui,
le Seigneur le tire de danger.
Le Seigneur le garde en vie
et le rend heureux sur la terre,
sans le laisser tomber
entre les griffes de ses ennemis.
Le Seigneur le soutient sur son lit de souffrances,
en l'entourant de soins pendant sa maladie.

Quant à moi, je m'adresse au Seigneur :
«Fais-moi la grâce de me guérir;
c'est vrai, je suis coupable devant toi.»
Mes ennemis disent méchamment de moi :
«Quand crèvera-t-il,
qu'on n'entende plus parler de lui?»
Si l'un d'eux vient me voir,
c'est pour me calomnier;
il fait provision de mensonges,
et sitôt dehors il va les colporter.
Ceux qui ne m'aiment pas se rassemblent
pour chuchoter à mon sujet
et méditer mon malheur :
«C'est une vilaine affaire qu'il a là, disent-ils;
après s'être mis au lit, il ne s'en relèvera pas.»
Mon meilleur ami lui-même,
celui en qui j'avais confiance,
celui qui partageait mon pain, s'est tourné contre moi.
Mais toi, Seigneur,
fais-moi la grâce de me relever,
et je prendrai ma revanche sur eux.

Voici comment je saurai que tu es pour moi :
c'est que mon ennemi
cesse de chanter victoire à mon sujet.
Et moi, tu me maintiendras dans l'innocence,
tu me garderas toujours en ta présence.

Merci au Seigneur, au Dieu d'Israël,
depuis toujours et pour toujours.
Amen, oui, qu'il en soit bien ainsi!

Heureux l'homme
qui prête attention aux faibles!
Le jour où tout va mal pour lui,
le Seigneur le tire de danger.

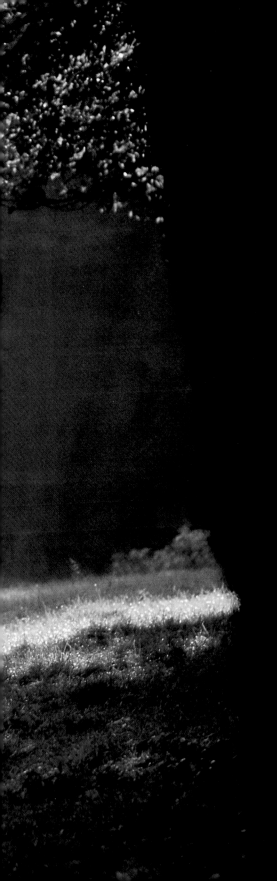

J'ai soif de Dieu

A quoi bon me désoler,
à quoi bon me plaindre de mon sort?
Mieux vaut espérer en Dieu et le louer à nouveau,
lui, mon Sauveur et mon Dieu!

Comme une biche soupire après l'eau du ruisseau,
moi aussi je soupire après toi, ô Dieu.

J'ai soif de Dieu, du Dieu vivant.
Quand pourrai-je enfin entrer chez lui
pour me présenter devant lui?
Jour et nuit j'ai ma ration de larmes,
car on me dit sans cesse :
«Ton Dieu, que fait-il donc?»

Je veux laisser revenir les souvenirs émouvants
du temps où je marchais parmi les premiers du cortège
vers la maison de Dieu, avec la foule en fête
criant à Dieu sa reconnaissance et sa joie.

A quoi bon me désoler,
à quoi bon me plaindre de mon sort?
Mieux vaut espérer en Dieu et le louer à nouveau,
lui, mon Sauveur et mon Dieu!

Au lieu de me désoler,
je veux m'adresser à toi, ô Dieu,
de ce lieu où je suis,
des sources du Jourdain près du Mont-Petit
dans les montagnes de l'Hermon.
Tu fais gronder les torrents,
un flot en appelle un autre,
tu les fais tous déferler sur moi,
je suis complètement submergé.

Que le Seigneur me montre sa bonté, le jour,
et je passerai la nuit à chanter pour lui,
à prier le Dieu qui me fait vivre.
Je veux dire à Dieu, à mon Rocher :
«Pourquoi m'as-tu oublié,
pourquoi dois-je vivre accablé,
pourquoi laisses-tu mes ennemis m'écraser ?»
Me voilà complètement brisé par leurs insultes,
par leur refrain quotidien : «Ton Dieu, que fait-il donc?»

A quoi bon me désoler,
à quoi bon me plaindre de mon sort?
Mieux vaut espérer en Dieu et le louer à nouveau,
lui, mon Sauveur et mon Dieu!

Comme une biche soupire
après l'eau du ruisseau,
moi aussi je soupire après toi, ô Dieu.

Fais-moi voir ta lumière

Alors je m'approcherai de ton autel,
de toi-même, ô Dieu ma plus grande joie.

Rends-moi justice, ô Dieu,
défends ma cause contre des gens sans pitié.
Délivre-moi des menteurs et des scélérats.
Car c'est toi, Dieu, qui es mon protecteur.
Pourquoi donc m'as-tu repoussé,
pourquoi dois-je vivre accablé,
pourquoi laisses-tu
mes ennemis m'écraser?
Fais-moi voir ta lumière et ta vérité.
Qu'elles me guident vers ta montagne sainte,
qu'elles me conduisent à ta demeure!
Alors je m'approcherai de ton autel,
de toi-même, ô Dieu ma plus grande joie.
Je prendrai ma guitare pour te louer,
toi qui es mon Dieu!

A quoi bon me désoler,
à quoi bon me plaindre de mon sort?
Mieux vaut espérer en Dieu
et le louer à nouveau,
lui, mon Sauveur et mon Dieu.

Fais-moi voir ta lumière et ta vérité.
Qu'elles me guident vers ta montagne sainte,
qu'elles me conduisent à ta demeure!
Alors je m'approcherai de ton autel,
de toi-même, ô Dieu ma plus grande joie.
Je prendrai ma guitare pour te louer,
toi qui es mon Dieu!

La victoire appartient au Seigneur

Tous les jours nous te glorifions, Seigneur,
et nous louons ta gloire éternelle.

Nous avons entendu de nos propres oreilles,
nos parents, nos grands-parents nous ont raconté
ce que toi-même, Dieu, tu as réalisé
de leur vivant, il y a longtemps.
Tu as exproprié des nations
pour établir notre nation;
tu as mis à mal des peuples
pour faire de la place à ton peuple.
Nos ancêtres ont conquis le pays,
mais ce n'est pas grâce à leur épée;
et ce ne sont pas leurs bras
qui les ont assurés du succès.
Mais c'est ton intervention en force,
et ta présence accueillante,
et ton amour pour eux.

C'est toi, mon Dieu, mon Roi,
qui décides le succès de ton peuple.
Grâce à toi nous repoussons nos adversaires,
grâce à toi nous piétinons nos ennemis.
Je ne me fie pas à mon arc,
et mon épée ne m'est d'aucun secours,
car c'est toi qui nous sauves de nos adversaires
et humilies ceux qui nous en veulent.

Tous les jours nous te glorifions, Seigneur,
et nous louons ta gloire éternelle.

Ce n'est pas grâce à leur épée
et ce ne sont pas leurs bras
qui les ont assurés du succès.
Mais c'est ton intervention en force,
et ta présence accueillante,
et ton amour pour eux.

Lève-toi pour nous secourir

Nous sommes effondrés dans la poussière.

Et pourtant tu nous as rejetés,
tu as provoqué notre honteuse défaite,
tu n'accompagnes plus nos armées.
Tu nous laisses reculer devant l'adversaire,
l'ennemi en profite pour nous piller.
Tu nous livres comme des agneaux au boucher;
nous voilà dispersés à l'étranger.
Tu te débarrasses de ton peuple à bas prix
sans en retirer le moindre profit.
Tu nous laisses insulter par nos voisins
et ridiculiser par ceux qui nous entourent.
Tu laisses les nations nous mettre en chansons,
et les peuples hocher la tête avec ironie.
Tous les jours je suis face à mon humiliation,
et la honte me monte au visage,
quand j'entends l'ennemi, l'agresseur,
nous provoquer et t'insulter, Seigneur.

Tout cela nous arrive,
sans pourtant que nous t'ayons oublié,
et sans que nous ayons trahi
nos engagements envers toi.
Nous n'avons pas cédé,
ni dévié de la voie que tu nous traces.
Mais tu nous as écrasés,
nous voici dans le domaine des chacals;
tu nous as recouverts de l'ombre la plus noire.
Si nous avions oublié qui est notre Dieu,
si nous avions fait appel à d'autres dieux,
tu n'aurais pas manqué, toi, de le savoir,
car tu connais tous les secrets du cœur humain.
A cause de toi, tous les jours,
on met à mort l'un ou l'autre d'entre nous,
on nous traite comme des agneaux de boucherie.

Réveille-toi, Seigneur! pourquoi restes-tu inactif?
Réveille-toi une bonne fois,
et renonce à nous rejeter!
Pourquoi refuses-tu de nous voir,
et oublies-tu nos misères, nos détresses,
quand nous sommes effondrés dans la poussière,
à plat ventre sur le sol?
Entre en action pour venir à notre aide,
délivre-nous au nom de ta bonté.

Nous n'avons pas cédé,
ni dévié de la voie que tu nous traces.

Mon poème pour le Roi

Tu aimes le droit, tu détestes le crime. C'est pourquoi Dieu, ton Dieu, t'a consacré en versant sur ta tête l'huile de fête.

Je me sens bouillonnant d'inspiration pour le beau discours que j'ai à faire : je vais réciter mon poème pour le roi. Je voudrais le dire avec autant d'art que le graveur quand il trace ses lettres.

Tu surpasses tout le monde en beauté, tu t'exprimes avec élégance. On voit bien que Dieu t'a béni pour toujours. Vaillant guerrier, mets ton épée au côté, signe de ta splendeur et de ta majesté. Tends ton arc, et bonne chance! En selle pour la bonne cause, pour défendre les pauvres et le droit! Ta main droite t'indiquera de grands exploits. Que tes flèches acérées terrifient les peuples, qu'elles tombent en plein sur tes ennemis. Ton siège royal, comme celui de Dieu, se maintiendra toujour l'insigne de ta royauté est symbole de justice. Tu aimes le droit, tu détestes le crime. C'est pourquoi Dieu, ton Dieu, t'a consacré en versant sur ta tête l'huile de fête, et t'a choisi, toi, plutôt que tes compagnons. La myrrhe, la cannelle et l'aloès parfument tous tes vêtements. De tes appartements décorés d'ivoire sort pour toi une musique joyeuse. Une princesse vient à ta rencontre, une dame qui se place à ta droite, parée de l'or le plus fin.

Ecoute, ma fille, regarde et sois bien attentive. Ne pense plus à ton peuple ni à la famille de ton père. Que le roi soit amoureux de ta beauté! C'est lui qui est désormais ton seigneur. Incline-toi devant lui Les gens de Tyr, les peuples les plus riches chercheront ta faveur en t'offrant des cadeaux. La princesse est resplendissante avec ses bijoux de corail cerclés d'or. Vêtue de broderies aux mille couleurs, elle est introduite auprès du roi. A sa suite, des jeunes filles, ses compagnes, entrent avec elle. On les conduit parmi les cris de joie, elles entrent au palais du roi.

O Roi, que tes fils, un jour, occupent le trône de tes ancêtres! Tu les feras princes du monde entier. Quan à moi, je rappellerai ta renommée à chaque nouvelle génération. Tout le monde fera ainsi ton éloge sans fi

Ecoute, ma fille, ne pense plus à ton peuple ni à la famille de ton père. Que le roi soit amoureux de ta beauté! C'est lui qui est désormais ton seigneur.

Il m'a retiré du puit infernal,
de la boue sans fond.
Il m'a remis debout, les deux pieds sur le roc;
il a rendu ma démarche assurée.
Il a mis sur mes lèvres un chant nouveau,
un chant de louange pour lui, notre Dieu.

Psaume 40:3–4

Il domine les éléments

«Arrêtez, crie-t-il, apprenez que Dieu, c'est moi!
Je domine les nations, je domine la terre.»

Dieu est pour nous un abri sûr,
un secours toujours prêt dans la détresse.
C'est pourquoi nous n'avons rien à craindre,
même si la terre se met à trembler,
si les montagnes s'écroulent au fond des mers,
si les flots grondent, bouillonnent,
se soulèvent et secouent les montagnes.

Un cours d'eau répand la joie
dans la cité de Dieu,
dans la plus sainte
des demeures du Dieu Très-Haut.
Dieu est dans la cité, elle tiendra bon;
dès que le jour se lève, il lui apporte son secours.
Les nations grondent,
les empires s'ébranlent,
mais Dieu donne de la voix, et la terre vacille.
Le Seigneur de l'univers est avec nous,
le Dieu de Jacob est notre forteresse.

Venez voir ce que le Seigneur a fait,
les actes stupéfiants qu'il accomplit sur terre :
il met fin aux combats jusqu'au bout du monde,
il casse les arcs de guerre, il brise les lances,
il met le feu aux boucliers.

«Arrêtez, crie-t-il, apprenez que Dieu, c'est moi!
Je domine les nations, je domine la terre.»
Le Seigneur de l'univers est avec nous,
Le Dieu de Jacob est notre forteresse.

C'est pourquoi nous n'avons rien à craindre,
même si la terre se met à trembler,
si les montagnes s'écroulent au fond des mers,
si les flots grondent, bouillonnent,
se soulèvent et secouent les montagnes.

Le Roi de toute la terre

Les princes des nations se joignent
au peuple du Dieu d'Abraham,
car c'est de Dieu que dépendent les rois,
les protecteurs de la terre.
Il est au-dessus de tout.

Vous, tous les peuples, applaudissez,
acclamez Dieu avec des cris de joie,
car le Seigneur, le Dieu Très-Haut, est redoutable,
il est le grand roi de toute la terre.
Il nous soumet des peuples,
il met des nations à nos pieds.
Il a choisi pour nous notre patrie,
et nous en sommes fiers,
nous, le peuple de Jacob, qu'il aime.

Dieu monte à Sion parmi les acclamations,
le Seigneur arrive au son du cor.
Célébrez Dieu en musique, célébrez-le,
célébrez notre roi, célébrez-le!
Car le roi de toute la terre, c'est Dieu.
Célébrez-le par un hymne.

Dieu règne sur les nations,
il siège sur son trône divin.
Les princes des nations se joignent
au peuple du Dieu d'Abraham,
car c'est de Dieu que dépendent les rois,
les protecteurs de la terre.
Il est au-dessus de tout.

Célébrez Dieu en musique, célébrez-le,
célébrez notre roi, célébrez-le!
Car le roi de toute la terre, c'est Dieu.
Célébrez-le par un hymne.

La cité du grand Roi

Ce Dieu est notre Dieu pour l'éternité;
il nous conduit pour toujours.

Le Seigneur est grand et mérite bien
qu'on le loue dans la ville de notre Dieu.
Sa montagne sainte s'élève avec élégance
et fait la joie de toute la terre;
Sion est la montagne
où le Seigneur tient son conseil;
c'est la cité du grand Roi.
Dieu y veille dans ses fortifications;
on sait qu'il en est la forteresse.

Les rois s'étaient rassemblés,
ils s'étaient avancés ensemble contre Sion.
A peine ont-ils vu le Seigneur
qu'ils ont été frappés de stupeur;
épouvantés, ils ont pris la fuite.
Un tremblement les a saisis sur place,
une angoisse, comme des femmes en
mal d'enfant, ou comme lorsque le vent d'est
fait sombrer les grands navires.

Ce que nous avions entendu raconter
correspond à ce que nous avons vu
dans la ville du Seigneur de l'univers,
dans la ville de notre Dieu.
Dieu la maintient toujours debout.

Dieu, à l'intérieur de ton temple,
nous refaisons l'expérience de ta bonté.
Tu es célèbre jusqu'au bout du monde;
jusqu'au bout du monde aussi on te louera.
Ta main droite est remplie de bienfaits.
Sur le mont Sion, qu'on se réjouisse
et dans les villes de Juda, qu'on s'émerveille
des jugements que tu as prononcés!

Faites en cortège le tour de Sion,
comptez ses tours de défense;
admirez ses murailles,
regardez bien ses fortifications.
Alors vous pourrez raconter
à la génération qui vient
que ce Dieu est notre Dieu pour l'éternité,
et qu'il nous conduit pour toujours.

Le Seigneur est grand
et mérite bien qu'on le loue
dans la ville de notre Dieu.

La vanité des richesses

Ce que j'ai à dire est raisonnable,
mes réflexions sont pleines de bon sens.

Vous tous, les humains, écoutez ceci;
vous qui peuplez le monde, soyez attentifs,
petites gens et grands personnages, riches aussi bien
que pauvres : ce que j'ai à dire est raisonnable,
mes réflexions sont pleines de bon sens.
J'écoute bien l'enseignement des sages;
je vais l'expliquer aux accords de la lyre.

A quoi bon m'inquiéter quand tout va mal,
quand je suis entouré d'escrocs prêts à me nuire?
Ils se fient à leurs gros revenus,
ils se vantent de leur grande fortune.
Mais aucun homme n'a les moyens de racheter à Dieu
la vie d'un autre homme ou de lui verser le prix
de sa propre vie. Le prix de leur vie est trop cher à
payer, il faut y renoncer une fois pour toutes.
Pensent-ils vivre encore indéfiniment et se dérober
à la tombe? Mais on le voit bien : les sages meurent
au même titre que le dernier des sots,
et ils abandonnent leurs biens à d'autres.
Bien qu'ils aient donné leur nom à leurs terres,
leur tombe est leur habitation pour toujours,
leur demeure pour tous les temps.
Pourtant, au milieu de son luxe, l'homme ne comprend
pas qu'il va vers sa fin, comme un simple animal.

Mais voici le sort de ces gens pleins d'assurance;
voici quel est l'avenir de ceux
qui aiment tant s'entendre parler :
On les pousse comme des moutons, vers le monde
des ombres; la mort est leur berger. Ils descendent
tout droit dans la tombe. Leurs formes s'évanouissent,
le monde des ombres devient leur demeure.
Mais Dieu consent à me délivrer;
oui, il m'arrache aux griffes de la mort.

Ne t'inquiète pas si un homme s'enrichit
et s'il augmente son train de vie.
Quand il mourra il n'emportera rien,
ses biens ne le suivront pas dans la tombe.
De son vivant il a beau se dire heureux, se féliciter
que tout aille bien pour lui; il lui faudra pourtant
rejoindre les générations qui l'ont devancé,
et qui ne verront plus jamais la lumière.
Pourtant, au milieu de son luxe, l'homme ne comprend
pas qu'il va vers sa fin, comme un simple animal.

On les pousse, comme des moutons,
vers le monde des ombres;
la mort est leur berger.
Ils descendent tout droit dans la tombe.

Soyez reconnaissants

Je te délivrerai, et tu célébreras ma gloire.

Dieu, Dieu le Seigneur a parlé, son appel retentit sur la terre de l'Orient à l'Occident. A Sion, cité merveilleuse de beauté, Dieu paraît, entouré de lumière. «Qu'il vienne, notre Dieu, et qu'il ne garde pas le silence!» Un feu dévorant le précède, autour de lui l'ouragan se déchaîne. Dieu convoque le ciel, là-haut, et la terre pour assister au jugement de son peuple. Il dit : «Qu'on rassemble pour moi mes fidèles, ceux qui se sont engagés envers moi par un sacrifice solennel!» Que le ciel le proclame : «Le Seigneur est loyal, le Dieu qui juge, c'est lui!»

Mon peuple, écoute, j'ai à te parler;
Israël, je t'adresse un avertissement, moi Dieu, ton Dieu.
J'ai des reproches à te faire, mais ce n'est pas
pour tes sacrifices; tu n'as d'ailleurs jamais cessé
de m'en offrir. Je n'irai pas prendre un taureau chez
toi, ni des boucs dans tes enclos, car j'ai à moi
toutes les bêtes des forêts et des animaux sur des
milliers de montagnes. Je connais tous les oiseaux
des hauteurs, et le gibier est à ma disposition.
Si j'avais faim, je n'aurais pas besoin de te le dire,
puisque le monde entier est à moi avec
tout ce qui s'y trouve. Vais-je manger la viande
des taureaux et boire le sang des boucs?

Offre-moi plutôt ta reconnaissance, à moi ton Dieu, et tiens les promesses que tu m'as faites, à moi, le Très-Haut. Et quand tu seras dans la détresse, appelle-moi, je te délivrerai, et tu célébreras ma gloire.

Mais Dieu déclare au méchant : A quoi bon réciter mes commandements et parler de l'engagement que tu as pris envers moi, alors que tu n'acceptes pas les reproches et que tu rejettes ce que je dis? Quand tu vois un voleur, tu prends son parti; tu te joins à ceux qui commettent l'adultère. Tu te laisses aller à dire du mal des autres, et tes discours sont un tissu de mensonges. Tu prends position contre ton prochain, tu traînes dans la boue ton propre frère! Voilà ce que tu fais, et tu voudrais que je ne dise rien? T'imagines-tu vraiment que je suis comme toi? Je te tiens pour responsable, je vais te mettre le nez sur tes méfaits. Vous qui voulez m'ignorer, comprenez bien ce que j'ai dit. Sinon je vous mettrai en pièces, sans que personne puisse m'en empêcher.

Celui qui m'honore, c'est celui qui m'offre sa reconnaissance. A celui qui veille sur sa conduite je ferai voir mon salut.

Dieu paraît, entouré de lumière.

La prière du pénitent

Rends-moi la joie d'être sauvé.

Dieu, toi qui es si bon, aie pitié de moi;
toi dont le cœur est si grand, efface mes désobéissances.
Lave-moi complètement des torts que j'ai,
et purifie-moi de ma faute.
Je t'ai désobéi, je le reconnais;
ma faute est toujours là, je la revois sans cesse.
C'est contre toi seul que j'ai mal agi,
puisque j'ai fait ce que tu désapprouves.
Ainsi tu as raison quand tu prononces ta sentence,
tu es irréprochable quand tu rends ton jugement.
Oui, je suis marqué par le péché depuis que je suis né,
plongé dans le mal depuis que ma mère m'a porté en elle.
Mais ce que tu aimes trouver dans un cœur humain,
c'est le respect de la vérité.
Au plus profond de ma conscience
fais-moi connaître la sagesse.

Fais disparaître ma faute, et je serai pur;
lave-moi, et je serai plus blanc que neige.
Annonce-moi ton pardon, il m'inondera de joie.
Que je sois en fête, moi que tu as brisé!
Détourne ton regard de mes fautes, efface
tous mes péchés. Dieu, crée en moi un cœur pur;
renouvelle et affermis mon esprit.
Ne me rejette pas loin de toi,
ne me prive pas de ton Saint-Esprit.
Rends-moi la joie d'être sauvé,
soutiens-moi par ton Esprit généreux.

A tous ceux qui te désobéissent
je veux dire ce que tu attends d'eux;
alors les coupables reviendront à toi.
Dieu, mon libérateur, délivre-moi de la mort,
pour que j'annonce avec joie comment tu m'as sauvé.
Seigneur, ouvre mes lèvres, pour que je puisse te louer.

Tu ne désires pas que je t'offre un sacrifice.
Même un sacrifice entièrement consumé
ne pourrait te plaire.
Dieu, le sacrifice que je t'offre,
c'est moi-même, avec mon orgueil brisé.
Dieu, ne refuse pas mon cœur complètement brisé.

Sois bien disposé pour Sion, fais-lui du bien;
rebâtis les murailles de Jérusalem.
Alors tu aimeras qu'on t'offre des sacrifices corrects,
des sacrifices entièrement consumés;
alors aussi on pourra présenter des taureaux sur ton autel.

Fais disparaître ma faute, et je serai pur;
Lave-moi, et je serai plus blanc que neige.

Epanoui auprès de Dieu

Je te louerai sans fin pour tout ce que tu as fait.
Dieu, c'est sur toi que je compte
en présence de tes fidèles,
car tu es bon.

Toi qui es si fort pour nuire aux fidèles,
pourquoi te vanter de ta méchanceté?
Tous les jours tu combines tes crimes;
ta langue est aussi acérée qu'un rasoir,
tu fabriques de la calomnie.
Tu préfères le mal au bien,
et le mensonge à la vérité.
Tu aimes tout gâcher par tes paroles,
tout ce que tu dis est truqué.

Eh bien, Dieu te démolira pour toujours,
il t'emportera, il t'enlèvera de chez toi,
et t'arrachera de la terre où nous vivons!

Les fidèles qui en seront témoins
seront impressionnés:
«Regardez ce bonhomme
qui se fiait à sa fortune
au lieu de prendre Dieu comme refuge,
et se sentait fort parce qu'il était riche.»

Mais moi, je suis dans la maison de Dieu
comme un olivier florissant;
je me fie pour toujours à la bonté de Dieu.

Je te louerai sans fin pour tout ce que tu as fait.
Dieu, c'est sur toi que je compte
en présence de tes fidèles,
car tu es bon.

Mais moi, je suis dans la maison de Dieu
comme un olivier florissant;
je me fie pour toujours à la bonté de Dieu.

*Dieu est pour nous un abri sûr, un secours toujours prêt dans la détresse.
C'est pourquoi nous n'avons rien à craindre, même si la terre se met
à trembler, si les montagnes s'écroulent au fond des mers, si les flots grondent,
bouillonnent, se soulèvent et secouent les montagnes.*

Psaume 46 : 2–4

La folie de l'incrédule

Ils sont stupides, ceux qui se disent
que Dieu est sans pouvoir.

Ils sont stupides, ceux qui se disent
que Dieu est sans pouvoir.
Ces gens n'ont aucune moralité,
ce qu'ils font est malhonnête;
aucun n'agit comme il faut.
Du haut du ciel Dieu se penche
pour observer les humains,
pour voir s'il y a quelqu'un d'intelligent
qui se tourne vers lui.
Tous sont rebelles,
sans exception ils se sont pervertis.
Aucun n'agit comme il faut,
pas même un seul.

«Il ne comprennent vraiment rien, dit Dieu,
tous ces gens qui font le malheur des autres,
qui se nourrissent en exploitant mon peuple
et ne s'adressent jamais à moi.»

Les voilà pris de panique
– il n'y a pourtant pas de quoi avoir peur –
car Dieu dispersera
les ossements des scélérats;
ils seront humiliés
d'avoir été rejetés par Dieu.

Ah, que je voudrais voir
le salut d'Israël, arrivant de Sion!
Dieu changera le sort de son peuple.
Quelle joie chez les descendants de Jacob,
quelle allégresse alors en Israël!

Du haut du ciel Dieu se penche
pour observer les humains,
pour voir s'il y a quelqu'un d'intelligent
qui se tourne vers lui.

Dieu répond à l'affligé

Dieu, entends ma prière,
écoute ce que je dis.

Dieu, montre qui tu es
en venant à mon secours;
montre ta force
en me rendant justice.
Dieu, entends ma prière,
écoute ce que je dis.

Des étrangers se dressent contre moi,
des brutes veulent ma mort.
Ces gens-là ne tiennent aucun compte de Dieu.
Mais Dieu va me venir en aide,
le Seigneur va me soutenir.

Que le malheur retombe sur mes adversaires!
Montre-moi ta fidélité
en les réduisant au silence.
De bon cœur je veux t'offrir un sacrifice.
Je veux prononcer ton nom dans mes louanges,
Seigneur, car tu es bon,
tu m'as délivré de toute détresse,
et je vois la défaite de mes ennemis.

Mais Dieu va me venir en aide,
le Seigneur va me soutenir.

Un abri contre la tempête

me disais: «Ah! si je pouvais
oir des ailes comme la colombe!
pourrais m'envoler et me poser ailleurs.
m'enfuirais bien loin,
j'irais passer la nuit au désert.»

eu, entends bien ma prière,
te cache pas quand je te supplie.
is attentif et réponds-moi.
rre sans but, accablé d'inquiétude.
suis troublé par ce que dit l'ennemi
par l'oppression qu'imposent les méchants.
font tomber le malheur sur moi
me poursuivent avec colère.
angoisse me serre le cœur,
les terreurs de la mort tombent sur moi.
suis pris de crainte et de tremblement,
suis submergé par l'effroi.

me disais: «Ah! si je pouvais
oir des ailes comme la colombe!
pourrais m'envoler et me poser ailleurs.
m'enfuirais bien loin,
j'irais passer la nuit au désert.
me dépêcherais de trouver un abri
ntre le vent qui souffle en tempête.»
igneur, embrouille les plans de mes ennemis,
is-les se contredire.

ne vois dans la ville que violence et conflits
isant jour et nuit le tour de ses murailles.
l'intérieur, c'est le malheur et la misère;
l'intérieur, ce sont des crimes.
oppression et la fraude
quittent pas ses places.

n'était pas un ennemi
lui qui m'insulte aujourd'hui;
trement je le supporterais.
n'avait pas de haine pour moi,
lui qui m'attaque;
ns quoi je l'aurais évité.
lais c'est toi,
uelqu'un de mon propre milieu,
ion ami et mon compagnon!
nsemble nous discutions agréablement
ans le Temple de Dieu
ù nous allions d'un même pas.

e me dépêcherais de trouver un abri
ontre le vent qui souffle en tempête.

Il s'approche de moi

Moi, j'appelle Dieu au secours,
et lui, le Seigneur, me sauvera.
Matin, midi et soir
je dois me plaindre et soupirer.
Mais il entend mon appel.

Que la mort surprenne mes adversaires;
qu'ils descendent tout vivants
au monde des ombres,
puisque la méchanceté remplit leur cœur!

Moi, j'appelle Dieu au secours,
et lui, le Seigneur, me sauvera.
Matin, midi et soir
je dois me plaindre et soupirer.
Mais il entend mon appel,
il paie pour me délivrer;
il s'approche de moi
quand tout le monde est contre moi.
Que Dieu m'entende, et qu'il les humilie,
lui qui est roi depuis toujours!

Avec ces gens-là, pas d'accord possible;
ils n'ont aucun respect de Dieu.
Le traître veut s'emparer de ses amis,
il viole l'engagement qu'il a pris.
Son discours est tout sucre et tout miel,
mais il garde l'intention d'attaquer.
Ses propos sont plus onctueux que l'huile,
mais ce sont des poignards prêts à frapper.

Décharge-toi de ton souci sur le Seigneur;
il te maintiendra debout,
il ne laissera pas toujours le fidèle chanceler.

Et toi, Dieu, tu les feras descendre
au fond de la tombe.
Ces gens qui pratiquent le meurtre et la fraude
n'iront pas jusqu'à mi-chemin de la vie.
Moi, je me fie à toi.

Décharge-toi de ton souci sur
le Seigneur; il te maintiendra debout,
il ne laissera pas toujours
le fidèle chanceler.

J'avance sous ton regard

Le jour où je t'appellerai au secours,
mes ennemis feront demi-tour.
Je le sais : toi, Dieu, tu es pour moi.

O Dieu, accorde-moi ton appui,
car on me poursuit ;
tous les jours on m'assaille et on me brutalise.
Tous les jours mes adversaires me poursuivent ;
en foule ils m'assaillent et me dominent.
Mais quand j'ai peur, je mets ma confiance en toi.

Je loue Dieu pour la parole qu'il a dite,
je lui fais confiance, je n'ai plus peur.
Quel mal pourrait me faire un simple mortel ?

Tous les jours ils déforment ce que je dis ;
leurs projets sont tous dirigés contre moi.
Pour me nuire ils me guettent, ils m'épient ;
ils sont constamment sur mes talons,
comme des gens qui en veulent à ma vie.
Après tant d'injustice, échapperaient-ils ?
Dans ta colère, Dieu, jette ces gens à terre !
Toi, tu tiens compte que j'ai dû m'enfuir ;
recueille mes larmes dans ton outre,
tu en as sûrement fait le compte.
Le jour où je t'appellerai au secours,
mes ennemis feront demi-tour.
Je le sais : toi, Dieu, tu es pour moi.

Je loue Dieu pour la parole qu'il a dite ;
oui, je loue le Seigneur pour cette parole.
Je lui fais confiance, je n'ai plus peur.
Quel mal pourraient me faire les hommes ?

Dieu, je te dois ce que je t'ai promis.
Pour m'en acquitter, je t'offrirai des sacrifices
de reconnaissance.
Tu m'as en effet arraché à la mort,
tu m'as évité de faire le pas fatal,
pour que j'avance sous ton regard
dans la lumière de la vie.

Tu m'as en effet arraché à la mort,
tu m'as évité de faire le pas fatal,
pour que j'avance sous ton regard
dans la lumière de la vie.

A l'ombre de tes ailes

Ta grande bonté monte jusqu'au ciel,
et ta fidélité plus haut que les nuages.

Dieu, accorde-moi ton appui, ne tarde pas,
car c'est près de toi que je cherche refuge
comme un poussin sous les ailes de sa mère,
jusqu'à ce que l'épreuve soit passée.
J'en appelle au Dieu Très-Haut,
au Dieu qui fait tout pour moi.
Du haut du ciel qu'il m'envoie son secours,
qu'il confonde celui qui me poursuit,
qu'il m'envoie un signe de sa fidèle bonté!

Je me trouve parmi des gens aussi féroces
que des lions mangeurs d'hommes.
Leurs dents sont pointues comme la lance ou la flèche,
et leur langue affilée comme un poignard.

Dieu, montre ta grandeur qui dépasse le ciel,
que ta gloire brille sur la terre entière!

Ils ont préparé un filet sur mon chemin,
un nœud coulant pour mon cou;
ils ont creusé un piège devant moi,
mais c'est eux qui y sont tombés.

Dieu, me voilà plein de résolution,
je veux chanter et te célébrer.
Réveille-toi, mon cœur,
réveillez-vous aussi, ma harpe et ma lyre,
car il faut que je réveille l'aurore.

Seigneur, je veux te louer parmi les peuples,
je veux te célébrer devant les nations,
car ta grande bonté monte jusqu'au ciel,
et ta fidélité plus haut que les nuages.

Dieu, montre ta grandeur qui dépasse le ciel,
que ta gloire brille sur la terre entière!

C'est près de toi que je cherche refuge
comme un poussin sous les ailes de sa mère.

Un juste juge

Et tout le monde dira :
«Oui, les fidèles auront leur récompense ;
oui, sur la terre il y a un Dieu qui juge.»

Peut-on se fier à vous, puissances du ciel,
quand vous proclamez le droit ?
Etes-vous justes quand vous jugez les humains ?
Non, c'est volontairement
que vous pratiquez l'injustice sur terre
et que vous ouvrez la porte aux violences.

Les méchants sont dévoyés dès leur naissance ;
à peine nés ils se mettent hors du bon chemin,
ils profèrent des calomnies.
Ils ont un venin, comme la vipère ;
ils font la sourde oreille, comme un serpent
qui n'écoute pas la musique des charmeurs,
même du plus expert d'entre eux.

Dieu, casse-leur les dents,
brise leurs crocs de lions, Seigneur.
Qu'ils disparaissent comme l'eau qui s'écoule,
qu'ils se flétrissent comme l'herbe piétinée !
Qu'ils aient le sort de la limace
qui se dessèche à mesure qu'elle avance !
Comme l'enfant mort-né, qu'ils ne voient pas le jour !
Avant que leurs chardons soient montés en buisson,
un tourbillon les emportera,
encore verts ou déjà brûlés, peu importe.

Le fidèle se réjouira
de voir la revanche de Dieu sur les méchants
et de patauger dans leur sang.
Et tout le monde dira :
«Oui, les fidèles auront leur récompense ;
oui, sur la terre il y a un Dieu qui juge.»

Qu'ils disparaissent
comme l'eau qui s'écoule !

Seigneur, je veux te louer parmi les peuples,
je veux te célébrer devant les nations, car ta grande bonté
monte jusqu'au ciel, et ta fidélité plus haut que les nuages.
Dieu, montre ta grandeur qui dépasse le ciel,
que ta gloire brille sur la terre entière!
Psaume 57:10−12

Tu es notre bouclier

Tu es une forteresse pour moi,
un refuge quand je suis dans la détresse.

Mon Dieu, délivre-moi de ceux qui m'en veulent,
protège-moi contre mes agresseurs.
Délivre-moi de ceux qui causent mon malheur,
sauve-moi de ces assassins. Les voici, en effet, qui m'
guettent; ces gens cruels veulent m'attaquer.
Je n'ai pourtant pas commis de faute,
je n'ai pas manqué à mes devoirs, Seigneur;
je n'ai rien fait de mal,
mais ils accourent, ils se préparent.
Réveille-toi, viens jusqu'à moi et regarde.
Toi, Seigneur, Dieu de l'univers, Dieu d'Israël,
réveille-toi, interviens contre ces païens,
refuse ta faveur à tous ces traîtres.

Vers le soir ils reviennent comme une meute
de chiens hurlants et font le tour de la ville.
Ils ont la bouche pleine de méchancetés,
leurs paroles sont des poignards.
Qui d'autre les entendra?
Mais toi, Seigneur, tu te mets à rire d'eux,
tu te moques de tous ces païens.
Je regarde vers toi, mon protecteur.
C'est toi, Dieu, qui es ma forteresse.
Mon Dieu, qui est si bon, viendra jusqu'à moi,
il me fera voir mes adversaires battus.
Ne les massacre pas tout de suite,
de peur que mon peuple oublie ta victoire.
Secoue-les avec force, fais-les tomber,
Seigneur, notre bouclier.
Leur moindre parole est une offense pour toi.
Qu'ils soient pris au piège de leur orgueil,
parce qu'ils n'ont fait que maudire et mentir!
Finis-en avec eux, dans ta fureur,
finis-en, et qu'on ne les voie plus!
Alors on saura jusqu'au bout du monde
qu'il y a un Dieu souverain en Israël.
Vers le soir ils reviennent, comme une meute
de chiens hurlants, et font le tour de la ville.
Ils cherchent çà et là quelque chose à manger,
et s'ils n'ont pas assez, ils se mettent à grogner.

Moi, je célébrerai ta puissance, dès le matin
j'acclamerai ta bonté, car tu es une forteresse
pour moi, un refuge quand je suis dans la détresse.
Toi mon protecteur, je veux te célébrer, car tu es
ma forteresse, ô Dieu, mon Dieu, toi qui es si bon.

Moi, je célébrerai ta puissance,
dès le matin j'acclamerai ta bonté.

Malgré ta colère, rétablis-nous

Avec Dieu nous serons victorieux,
car lui, il terrasse nos adversaires.

Dieu, tu nous as rejetés, tu as rompu nos rangs.
Malgré ta colère, rétablis-nous!
Tu as secoué la terre, tu l'as fissurée;
répare ses cassures, car elle ne tient plus.
Tu as fait voir de dures épreuves à ton peuple,
tu nous as forcés à boire un vin qui enivre.
Tu as donné à tes fidèles
le signal de la fuite sous le tir des archers.
Mais pour que nous soyons sauvés, nous tes amis,
agis, viens à notre secours et réponds-nous.

Dans son saint temple Dieu a parlé :
«A moi la victoire!
Je partagerai la ville de Sichem,
je répartirai en lots la vallée de Soukoth.
Galaad est à moi, à moi aussi Manassé.
Mon casque, c'est Efraïm;
et mon bâton de commandement, Juda.
Moab n'est que la cuvette où je me lave.
J'ai des droits sur Edom, j'y jette ma sandale.
Contre la Philistie je pousse un cri de guerre.»

Qui me mènera jusqu'en Edom?
Qui me livrera sa ville fortifiée,
si ce n'est toi, Dieu?
Or tu nous a rejetés,
tu n'accompagnes plus nos armées.
Viens à notre aide contre l'adversaire,
car les hommes n'offrent qu'un secours dérisoire.

Avec Dieu nous serons victorieux,
car lui, il terrasse nos adversaires.

Dieu, tu nous as rejetés,
tu as rompu nos rangs.
Malgré ta colère, rétablis-nous!
Tu as secoué la terre, tu l'as fissurée;
répare ses cassures, car elle ne tient plus.

Le rocher que je ne puis atteindre

J'aimerais vivre toujours dans ta maison
et y trouver abri sous tes ailes.

Dieu, écoute ma plainte,
sois attentif à ma prière.
Du bout du monde,
quand je n'en peux plus,
je t'appelle au secours.
Conduis-moi au rocher
que je ne puis atteindre.

Tu as été pour moi un sûr protecteur,
une tour fortifiée face à l'ennemi.
J'aimerais vivre toujours dans ta maison
et y trouver abri soùs tes ailes.

C'est toi, Dieu, qui entends mes souhaits,
et qui as donné à tes adorateurs
leur part de terre sainte.
Donne au roi longue vie,
fais-le subsister longtemps, longtemps.
Dieu, qu'il règne sans fin
en ta présence;
que ta fidèle bonté soit sa sauvegarde!

Alors je te célébrerai sans cesse
par ma musique et par mon chant,
et j'accomplirai jour après jour
les promesses que je t'ai faites.

Dieu, écoute ma plainte,
sois attentif à ma prière.
Du bout du monde,
quand je n'en peux plus,
je t'appelle au secours.
Conduis-moi au rocher
que je ne puis atteindre.

Lui seul . . .

Mon salut et mon honneur reposent sur Dieu.

C'est seulement près de Dieu
que je peux être tranquille,
c'est de lui que me vient le salut.
Lui seul est le rocher, la forteresse
où je peux être sauvé.
Avec lui aucun risque de lâcher pied.

– Jusqu'à quand vous unirez-vous
pour assaillir et abattre un homme,
comme on abat un mur qui penche
ou une clôture branlante?
Vous ne pensez qu'à lui faire perdre sa place,
vous vous plaisez à mentir.
Des lèvres vous bénissez,
au fond de vous-mêmes vous maudissez.

C'est seulement près de Dieu
qu'il me faut chercher la tranquillité,
car c'est lui qui me donne espoir.
Lui seul est le rocher, la forteresse
où je peux être sauvé.
Avec lui pas de risque de lâcher pied.
Mon salut et mon honneur reposent sur Dieu.
Mon rocher protecteur, mon refuge, c'est lui.
– Vous qui êtes là, fiez-vous toujours à lui,
confiez-lui ce qui vous préoccupe;
Dieu est pour nous un refuge.

Les humains : du vent, rien de plus;
les hommes : rien de plus décevant.
Sur la balance, à eux tous,
ils ne pèseraient pas lourd.
– Ne vous fiez pas aux méthodes violentes,
n'espérez rien de ce qui est pris de force.
Si vos ressources augmentent,
n'y accordez pas d'importance.

Plus d'une fois j'ai entendu
cette parole de Dieu :
«C'est à moi qu'appartient la puissance.»
– A toi aussi appartient la bonté,
Seigneur, car tu traites chaque homme
selon ce qu'il a fait.

C'est seulement près de Dieu
que je peux être tranquille,
c'est de lui que me vient le salut.

Tout mon être soupire après toi

Quand je suis couché, je me souviens de toi;
je pense à toi pendant les heures de la nuit :
tu es venu à mon secours.
A l'abri de tes ailes je crie ma joie.
Je suis attaché à toi de tout mon être,
ta main droite est mon soutien.

Dieu, tu es mon Dieu, je te cherche,
j'ai soif de toi.
Tout mon être soupire après toi,
comme une terre aride, desséchée, sans eau.
Dans le temple je t'ai cherché du regard
pour voir ta puissance et ta gloire,
car ta bonté vaut mieux que la vie.
Je proclamerai ta louange,
toute ma vie je te remercierai;
en levant les mains je dirai qui tu es.
Je serai comblé,
comme rassasié des meilleurs morceaux.
Je laisserai exploser ma joie,
je te glorifierai.

Quand je suis couché, je me souviens de toi;
je pense à toi pendant les heures de la nuit :
tu es venu à mon secours.
A l'abri de tes ailes je crie ma joie.
Je suis attaché à toi de tout mon être,
ta main droite est mon soutien.

Il y a des gens qui veulent ma mort.
Qu'ils aillent à un désastre soudain,
qu'ils descendent au fond du monde des morts!
Qu'ils soient livrés à la mort violente,
qu'ils deviennent la proie des chacals!

Que le roi trouve en Dieu la source de sa joie!
Quant à tous ceux qui font un serment
en prenant Dieu à témoin,
qu'ils puissent se féliciter,
car les menteurs seront réduits au silence!

Dieu, tu es mon Dieu, je te cherche,
j'ai soif de toi.
Tout mon être soupire après toi,
comme une terre aride, desséchée, sans eau.

Préserve ma vie, Seigneur!

Que les fidèles trouvent auprès du Seigneur
la source de leur joie et leur recours;
et que les hommes au cœur droit s'en félicitent!

O Dieu, je me plains à toi, écoute-moi.
Préserve ma vie de l'ennemi que je crains,
fais-moi échapper au complot des malfaiteurs,
aux intrigues des gens malfaisants.

Leur langue est un poignard qu'ils aiguisent,
leurs mots blessants sont des flèches, qu'ils préparent
pour tirer en secret sur les honnêtes gens.
Ils tirent sans prévenir, sans scrupule.
Ils s'encouragent l'un l'autre à ces méfaits,
ils parlent des pièges qu'ils vont tendre en cachette
et disent : «Personne n'y verra rien.»
Ils imaginent des mauvais coups :
«Notre plan est bien au point, disent-ils,
l'homme n'est jamais à court d'idées.»

Mais Dieu tire ses flèches sur eux;
tout à coup les voilà touchés :
il les a pris à leurs propres paroles.
Et tout le monde hoche la tête en les voyant,
tous en sont impressionnés;
ils racontent ce que Dieu a fait,
et comprennent le sens de son action.
Que les fidèles trouvent auprès du Seigneur
la source de leur joie et leur recours;
et que les hommes au cœur droit s'en félicitent!

Et tout le monde hoche la tête en les voyant,
tous en sont impressionnés;
ils racontent ce que Dieu a fait,
et comprennent le sens de son action.

Un Dieu d'abondance

*Tu t'occupes de la terre, tu l'arroses en abondance,
tu la combles de richesses.*

Dieu, dans la cité de Sion,
tu mérites bien que chacun te loue
et tienne les promesses qu'il t'a faites,
puisque tu accueilles les prières.
Tous les humains viennent à toi
chargés de leurs fautes.
Nos torts sont trop lourds pour nous,
mais toi, tu peux les faire disparaître.
Heureux ceux que tu admets
à passer un moment chez toi!
Nous aimerions profiter pleinement
de ce qu'il y a de meilleur dans ta maison,
dans ton saint temple.
Dieu notre Sauveur, tu es loyal,
tu nous réponds par des actes impressionnants,
toi en qui espèrent
les peuples du bout du monde
et des îles les plus lointaines.

Tu forces les montagnes à se mettre en place,
tu es armé de vigueur.
Tu apaises le mugissement des mers,
le mugissement de leurs vagues,
et le grondement des peuples.
Devant tes miracles pleins de sens
les habitants du bout du monde ont pris peur;
tu fais crier de joie l'Orient et l'Occident.

Tu t'occupes de la terre, tu l'arroses
en abondance, tu la combles de richesses.
Dieu, ton ruisseau est plein d'eau,
tu prépares le blé pour les hommes,
tu mets la terre en état :
Tu irrigues ses sillons, tu aplanis ses mottes,
tu la détrempes par la pluie,
tu donnes aux graines la force de germer.
Tu achèves en beauté une année de bontés,
sur ton passage l'abondance ruisselle.
Les pâturages loin des villes
ruissellent de la même richesse,
les collines s'entourent de cris de joie.
Les prés portent un manteau de troupeaux,
le fond des vallées se couvre de blés;
toute la campagne t'acclame et te chante.

*Tu apaises le mugissement des mers,
le mugissement de leurs vagues,
et le grondement des peuples.*

Tu t'occupes de la terre,
tu l'arroses en abondance,
tu la combles de richesses.

Psaume 65 : 10

Proclamez ses hauts faits!

Peuples, remerciez notre Dieu,
louez-le à pleine voix,
Il nous a fait entrer dans la vie,
il nous a préservés des faux pas.

Acclamez Dieu, gens du monde entier.
Célébrez son nom glorieux,
honorez-le par vos louanges.
Dites à Dieu :
«Combien ce que tu fais est impressionnant!
Face à ton immense puissance
tes ennemis abandonnent toute fierté.
Que les gens du monde entier
s'inclinent jusqu'à terre devant toi,
qu'ils te célèbrent par leurs chants,
oui, qu'ils te célèbrent, Seigneur!»

Venez voir ce que Dieu a fait;
son exploit est impressionnant pour les humains.
Il a mis la mer à sec, on passe le fleuve à pied.
Soyons en joie pour ces hauts faits.
Il règne avec énergie pour toujours.
Des yeux il surveille les nations :
les rebelles n'ont plus qu'à bien se tenir!

Peuples, remerciez notre Dieu, louez-le à pleine voix.
Il nous a fait entrer dans la vie,
il nous a préservés des faux pas.

Dieu, tu nous as éprouvés,
tu nous as passés au creuset comme l'argent,
tu nous as mis en difficulté,
tu nous as accablés de détresse.
Tu as laissé des hommes
nous passer à cheval sur la tête,
nous avons dû traverser le feu et l'eau.
Mais tu nous as tirés de là et soulagés.

Il a mis la mer à sec,
on passe le fleuve à pied.
Soyons en joie pour ces hauts faits.

Merci, Seigneur!

Vous tous, les fidèles de Dieu,
venez écouter, je vous raconterai
ce qu'il a fait pour moi.

J'entre dans ton temple
pour t'apporter des sacrifices,
pour tenir les promesses que je t'ai faites,
celles-là même que j'ai prononcées
quand j'étais dans la détresse.
Je t'offre des brebis grasses et des béliers,
je prépare un bœuf et des boucs.
Sur l'autel ils vont être consumés
et leur fumée montera jusqu'à toi.

Vous tous, les fidèles de Dieu,
venez écouter, je vous raconterai
ce qu'il a fait pour moi :
Je l'ai appelé à mon secours,
déjà prêt à le louer.
Si j'avais eu une intention coupable,
le Seigneur ne m'aurait pas écouté.
Mais voilà, Dieu a écouté,
il a été attentif à ma prière.
Merci à Dieu!
Il n'a pas écarté ma prière,
il ne m'a pas privé de sa bonté.

Que les gens du monde entier
s'inclinent jusqu'à terre devant toi,
qu'ils te célèbrent par leurs chants,
oui, qu'ils te célèbrent, Seigneur!

Que Dieu nous bénisse!

Oui, que Dieu nous bénisse,
et que les peuples les plus lointains
le reconnaissent comme Dieu!

Dieu, accorde-nous ton appui et bénis-nous;
fais-nous bon accueil.
Ainsi l'on saura sur terre
comment tu interviens;
on saura parmi toutes les nations
comment tu sauves.
Que les peuples te louent, Dieu,
que tous les peuples te louent!
Que les nations soient en joie, qu'elles t'acclament,
car tu juges les peuples équitablement,
et sur la terre tu conduis les nations.
Que les peuples te louent, Dieu,
que tous les peuples te louent!

La terre a donné ses produits;
que Dieu, notre Dieu, nous bénisse!
Oui, que Dieu nous bénisse,
et que les peuples les plus lointains
le reconnaissent comme Dieu!

Dieu, accorde-nous ton appui
et bénis-nous; fais-nous bon accueil.

C'est seulement près de Dieu qu'il me faut chercher
la tranquillité, car c'est lui qui me donne espoir. Lui seul est le rocher,
la forteresse où je peux être sauvé. Avec lui pas de risque de lâcher pied.
Mon salut et mon honneur reposent sur Dieu.
Mon rocher protecteur, mon refuge, c'est lui.

Psaume 62 : 6−8

Je te louerai sans fin
pour tout ce que tu as fait.
Dieu, c'est sur toi que je compte
en présence de tes fidèles,
car tu es bon.

Psaume 52:11